TILL EULENSPIEGEL

Herausgeber: Gisela Betke Nielsen
Illustrationen: Oskar Jørgensen

EASY READERS · ER · LEICHT ZU LESEN

GEKÜRZT UND VEREINFACHT
FÜR SCHULE UND SELBSTSTUDIUM

Diese Ausgabe, deren Wortschatz nur die gebräuchlichsten deutschen Wörter umfasst, wurde gekürzt und in der Struktur vereinfacht und ist damit den Ansprüchen des Deutschlernenden auf einer frühen Stufe angepasst.

Oehler: Grundwortschatz Deutsch (Ernst Klett Verlag) und Das Zertifikat. Deutsch als Fremdsprache (Deutscher Volkshochschul-Verband e.V., Bonn – Bad Godesberg und Goethe-Institut zur Pflege der deutschen Sprache im Ausland e.V., München), 2. neubearbeitete und erweiterte Auflage 1977, wurden als Leitfaden benutzt.

Dieses Werk folgt der reformierten Rechtschreibung und Zeichensetzung

Herausgeber: Ulla Malmmose

Umschlagentwurf: Mette Plesner

ISBN Dänemark 87-23-90343-0
www.easyreader.dk

Easy Readers EGMONT

Gedruckt in Dänemark von
Sangill Grafisk Produktion, Holme Olstrup

TILL EULENSPIEGEL

Till Eulenspiegel war ein berühmter deutscher Spaßmacher des 14. Jahrhunderts. Auf seinen Wanderungen durch Dörfer, Städte und Länder kam er zu allen sozialen Schichten der Bevölkerung. Durch seine scharfe Zunge und seine groben Späße stiftete er überall Verwirrung. Überall machte er sich zum Mittelpunkt und zum Spiegelbild der herrschenden Zustände. Die Eule war für ihn das Symbol der Weisheit, der Spiegel das Symbol der Wahrheit.

Im Jahre 1515 schrieb ein unbekannter Verfasser das Volksbuch, das sich heute noch in einem Exemplar im britischen Museum in London befindet. Außerdem gibt es eine Ausgabe aus dem Jahre 1519, die auch nur in einem Exemplar existiert und die in Gotha in Thüringen aufbewahrt ist. 1971 fand der Schweizer Jurist Dr. Peter Honegger durch Zufall ein Eulenspiegel-Fragment aus dem Jahre 1510-11. Mit Hilfe genauer wissenschaftlicher Untersuchungen hat man festgestellt, dass der Verfasser der ersten Eulenspiegel-Ausgabe der Braunschweiger Hermann Bote ist. Er lebte von 1467 bis etwa 1520, blieb in literarischen Kreisen aber recht unbekannt.

Seit ihrer Entstehung sind die so genannten »Eulenspiegeleien« in allen Kunstarten benutzt worden: in der Musik, in der Dichtung und in der bildenden Kunst.

Bei der vorliegenden Easy-Reader-Bearbeitung wurde das 1978 vom Insel Verlag in Frankfurt herausgegebene Buch »Hermann Bote, Till Eulenspiegel« benutzt.

INHALT

EULENSPIEGEL ALS KIND

In dieser *Geschichte* wird erzählt, wie Till Eulenspiegel *geboren* und wie seine *Taufe* gefeiert wurde.

die Taufe

Eulenspiegel wurde in dem *Dorf* Kneitlingen in Sachsen geboren. Sein Vater hieß Claus Eulenspiegel und seine Mutter Ann Wibcken. In dem Dorf Ampleben, das in der Nähe lag, wurde Eulenspiegel getauft. Die Eltern gaben

---

die Geschichte, die Erzählung
geboren werden, zur Welt kommen
das Dorf, eine kleine Stadt

ihm den Namen Till. Sein *Taufpate* war nämlich Till von Uetzen, der *Burg*herr von Ampleben.

Als Till Eulenspiegel nun getauft war, wollten die Taufpaten und die Eltern das Kind wieder nach Kneitlingen zurücktragen. Sie waren sehr lustig, weil sie in einem Gasthaus in Ampleben viel Bier getrunken hatten. So gingen sie lachend und singend nach Hause.

Eine *Taufpatin* trug das Kind auf dem Arm. Als sie über eine kleine Brücke gehen wollte, fiel sie mit Till in den *schmutzigen* Fluss. Sie *besudelte sich* und das Kind so sehr, dass Eulenspiegel beinahe keine Luft bekommen konnte. Die anderen Frauen zogen die Taufpatin und das Kind wieder aus dem Wasser heraus. Als sie in ihr Dorf zurückgekommen waren, mussten sie Eulenspiegel in einem *Kessel* mit warmem Wasser waschen und ihn wieder sauber machen.

der Kessel

---

der Taufpate, die Taufpatin, der Mann und die Frau, die für das Kind sorgen wollen, wenn die Eltern tot sind
schmutzig, nicht sauber
sich besudeln, sich schmutzig machen

So wurde Till Eulenspiegel dreimal an einem Tag getauft: einmal in der *Kirche*, einmal in dem schmutzigen Fluss und einmal im Kessel mit warmem Wasser.

In dieser Geschichte wird erzählt, wie sich alle Männer und Frauen in dem Dorf über Eulenspiegel *beklagten*.

das Pferd

die Hose

Als Till Eulenspiegel drei Jahre alt war, fing er an, sich über die Leute im Dorf lustig zu machen. Sie beklagten sich bei dem Vater und sagten:

»Dein Sohn ist ein *Narr*!«

Der Vater wunderte sich darüber und sprach mit seinem Sohn. Aber Eulenspiegel sagte:

»Lieber Vater, ich tue doch nichts. Ich will es dir *beweisen*. Setze dich auf dein *Pferd*! Ich will mich hinter dich setzen und ganz still mit dir durch das Dorf *reiten*.«

Der Vater tat das und setzte Eulenspiegel

---

sich beklagen, einem Menschen erzählen, dass man sich über etwas ärgert.
die Leute, die Menschen
der Narr, ein dummer Mensch
beweisen, die Wahrheit zeigen
reiten, sich auf einem Pferd fortbewegen

hinter sich auf das Pferd. Als sie durch das Dorf ritten, *erhob sich* Eulenspiegel, zog seine *Hose* herunter und zeigte den Leuten sein *nacktes* Hinterteil. Dann setzte er sich wieder.

Die Frauen riefen: »Pfui! *Schäme dich*!«

Die Männer riefen: »Du bist wirklich ein Narr!«

sich erheben, aufstehen
nackt, ohne Kleidung
sich schämen, das Gefühl haben, etwas Schlechtes getan zu haben

»Siehst du, Vater«, sagte Eulenspiegel, »ich sitze ganz still und tue keinem Menschen etwas. Trotzdem beklagen sie sich.«

»Das verstehe ich nicht«, sagte der Vater, und er setzte seinen Sohn vorne auf das Pferd.

Eulenspiegel saß wieder ganz still. Er machte aber den Mund weit auf, *schnitt Grimassen* und *streckte die Zunge heraus*.

»Seht, was für ein Narr er ist!«, sagten sie.

»Du bist in einer unglücklichen Stunde geboren«, sagte der Vater, »du sitzst ganz still und tust nichts. Trotzdem klagen sie über dich. Wir müssen weg von hier. In diesem Dorf können wir nicht bleiben.«

Grimassen schneiden, das Gesicht unnatürlich machen
die Zunge herausstrecken, siehe Zeichnung auf Seite 9

In dieser Geschichte wird erzählt, wie Till Eulenspiegel mit seinem Vater und seiner Mutter in ein anderes Dorf *zog*, wie Till lernte, auf einem *Seil* zu gehen und wie die Dorfleute sich um die Schuhe schlugen.

Till Eulenspiegel zog mit seinen Eltern von Kneitlingen weg in ein anderes Dorf. Der Vater *starb* bald, und die Mutter war mit ihrem Sohn nun allein. Sie aßen und tranken, was sie hatten. Viel war es nicht, und bald waren sie sehr arm.

Eulenspiegel war nun schon sechzehn Jahre alt. Er hatte aber keine Lust, ein *Handwerk* zu lernen. Er lernte nur Dummheiten und *Narrenstreiche*, und darüber war seine Mutter sehr unglücklich.

Das Haus, in dem er mit seiner Mutter wohnte, lag an einem Fluss. Über diesen Fluss zog Eulenspiegel ein Seil von dem *Dachboden* des Hauses zu dem Haus auf der anderen Seite des Flusses. Dann versuchte er, auf dem Seil zu gehen.

Viele junge und alte Leute waren zum Fluss

---

ziehen, hier: eine andere Wohnung bekommen
das Seil, siehe Zeichnung auf Seite 14
sterben, aufhören zu leben
das Handwerk, die gelernte Arbeit mit den Händen
der Narrenstreich, die Dummheit
der Dachboden, der oberste Raum des Hauses

gelaufen, um Eulenspiegel auf dem Seil zu sehen. Seine Mutter sah es auch, und sie *schlich heimlich* auf den Dachboden und schnitt das Seil kaputt. Eulenspiegel fiel ins Wasser, die alten Männer lachten, und die jungen Leute riefen laut:

»Seht den Narren! Er badet im Fluss. Bade nur, Eulenspiegel! Ein Bad kannst du gut gebrauchen!«

Eulenspiegel hatte nichts gegen das Bad. Das Rufen der Jungen ärgerte ihn aber. Und nun *überlegte* er, wie er *sich* an den Jungen *rächen* konnte.

Kurze Zeit später zog Eulenspiegel das Seil wieder über den Fluss. Die Leute, jung und alt, kamen gelaufen, um ihn auf dem Seil zu sehen.

Eulenspiegel bat nun alle, ihm den linken Schuh zu geben und sagte:

»Ich will euch ein schönes Kunststück auf dem Seil zeigen.«

Die Leute glaubten Eulenspiegel und zogen ihre Schuhe aus. Den linken Schuh gaben sie Eulenspiegel. Es waren über hundert Schuhe.

---

schleichen, still und langsam gehen, ohne gesehen zu werden
heimlich, nicht zu sehen und zu hören für andere
überlegen, genau über etwas denken
sich rächen, etwas Böses mit einer bösen Tat zurückzahlen

Eulenspiegel zog die Schuhe auf eine *Schnur* und machte sie an dem Seil fest. Dann setzte er sich selbst auf das Seil. Alle sahen zu ihm hinauf und warteten nun auf das Kunststück.

Da rief Eulenspiegel zu ihnen herunter:

»Seht mein Kunststück! Jetzt bekommt ihr eure Schuhe wieder! Jeder muss seinen Schuh selbst suchen!«

Im gleichen Augenblick schnitt er die Schnur, an der die Schuhe hingen, kaputt. Alle Schuhe fielen auf die Erde. Ein Schuh fiel über den anderen. Alle *stürzten sich* auf die Schuhe. Der eine nahm hier einen Schuh, der andere dort.

Der eine rief: »Das ist mein Schuh!«

Der andere rief: »Du *lügst*! Das ist mein Schuh!«

Sie zogen sich an den Haaren und fingen an, sich zu schlagen. Der eine lag unten, der andere oben. Der eine *schrie*, der andere weinte, der Dritte lachte. Auch die Alten zogen sich an den Haaren und schlugen sich.

Eulenspiegel saß auf seinem Seil, lachte und rief:

»Sucht nur eure Schuhe!«

---

die Schnur, ein dünnes Seil
sich stürzen, sich mit großer Kraft fallen lassen
lügen, nicht die Wahrheit sagen
schreien, laut rufen

Dann lief er vom *Seil* ins Haus, um sich in Sicherheit zu bringen.

Die Jungen und die Alten schlugen sich noch lange weiter.

Vier Wochen lang ließ sich Eulenspiegel nicht in dem Dorf sehen. Er saß bei seiner Mutter im Haus und half ihr bei der Arbeit. Die Mutter freute sich darüber und dachte: Vielleicht wird doch alles gut! Vielleicht wird

er doch noch ein fleißiger und vernünftiger Mensch!

Sie kannte aber die Geschichte mit den Schuhen nicht und wusste nicht, dass ihr Sohn Angst vor den Leuten hatte.

In dieser Geschichte wird erzählt, wie Eulenspiegel in einen *Bienenkorb kroch*, wie zwei *Diebe* den Korb *stehlen* wollten und wie Eulenspiegel die beiden Diebe ärgerte.

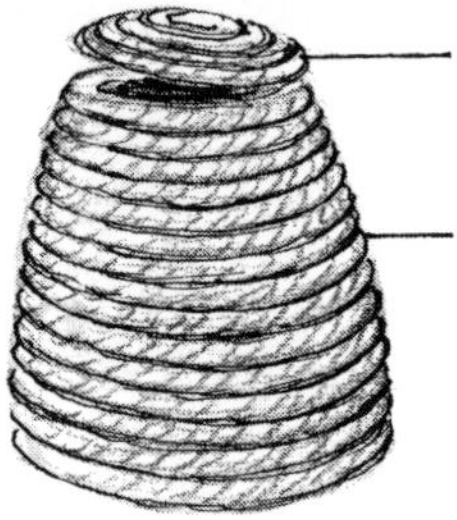

Einmal war Eulenspiegel mit seiner Mutter in ein anderes Dorf zu einer Feier gegangen. Da gab es viel zu essen und zu trinken. Eulenspiegel trank so viel Bier, dass er bald sehr müde wurde. So suchte er sich einen stillen Platz im Garten, wo kein Mensch ihn stören und wo er Ruhe haben konnte. In dem Garten standen viele Bienenkörbe. Eulenspiegel kroch in einen leeren Korb, um ein wenig zu schlafen. Er schlief bald fest ein und schlief bis in die dunkle Nacht.

In derselben Nacht kamen zwei Diebe in den Garten und wollten einen Bienenkorb stehlen. Der eine Dieb sagte zu dem anderen:

---

kriechen, sich auf Händen und Füßen fortbewegen
der Dieb, ein Mensch, der anderen Menschen etwas wegnimmt
stehlen, etwas wegnehmen, was einem anderen gehört

»Ich habe gehört, dass der schwerste Bienenkorb auch der beste ist.«

Also *hoben* sie die Körbe nacheinander *hoch*, um den schwersten Bienenkorb zu finden. Dann kamen sie zu dem Korb, in dem Eulenspiegel lag und schlief. Das war der schwerste Korb. Der eine Dieb sagte:

»Das ist der beste Korb. Den nehmen wir!«

Sie setzten den Korb auf zwei Stöcke. Der eine Mann nahm die Stöcke vorne in die Hand, der andere Mann hinten. Dann schlichen sie durch die Dunkelheit. Es war so dunkel, dass der eine den anderen nicht sehen konnte.

Als die Diebe den Korb hochgehoben und von ihren Plänen gesprochen hatten, war Eulenspiegel wach geworden. Er machte vorsichtig den *Deckel* auf und zog den vorderen Mann kräftig an den Haaren. Der Mann wurde böse auf den hinteren Mann und schrie:

»Bist du verrückt geworden, mich an den Haaren zu ziehen?«

»Träumst du oder gehst du im Schlaf?«, sagte der andere. »Wie sollte ich dich an den Haaren ziehen? Ich muss doch die Stöcke mit meinen Händen halten!«

---

hochheben, nach oben halten

Eulenspiegel lachte still für sich und dachte: Das Spiel kann gut werden! Er wartete ein paar Minuten. Dann zog er den hinteren Mann auch kräftig an den Haaren. Der Mann schrie vor Schmerzen und sagte böse:

»Ich gehe und trage den schweren Korb, dass mir der Rücken schmerzt. Und du sagst, ich ziehe dich am Haar. Du bist es, der mich am Haar zieht!«

Der vordere Mann schrie zurück:

»Du lügst! Wie sollte ich dich am Haar ziehen? Ich kann doch nicht einmal den Weg vor mir sehen. Ich weiß genau, dass du mich am Haar gezogen hast.«

So gingen sie *zankend* mit dem Bienenkorb weiter. Da zog Eulenspiegel den vorderen Mann so kräftig an den Haaren, dass sein Kopf gegen den Bienenkorb schlug.

Der Mann ließ *zornig* den Bienenkorb fallen und schlug mit den *Fäusten* auf den hinteren Mann. Dieser ließ den Korb auch fallen und schlug den vorderen Mann. Der vordere Mann schlug zurück. Sie fielen auf die Erde, schlugen sich weiter, zogen sich an den Haaren und an den Ohren. Dann standen sie auf

---

sich zanken, schlecht zueinander sprechen
zornig, sehr böse
die Faust, siehe Zeichnung auf Seite 20

und gingen weg. Jeder in eine andere Richtung. Den Bienenkorb ließen sie auf der Erde liegen.

Eulenspiegel sah aus dem Korb. Es war immer noch dunkel. Er blieb darin liegen und schlief weiter, bis es heller Tag war. Dann kroch er aus dem Korb und ging in sein Dorf zurück.

FRAGEN

1. Wie wurde Eulenspiegel getauft?
2. Warum wurde er in einem anderen Dorf getauft?
3. Wofür sorgte ein Pate?
4. Wie wird heute für ein elternloses Kind gesorgt?
5. Warum ärgerte Eulenspiegel die Menschen?
6. Was wollte Eulenspiegel seinem Vater beweisen?
7. Warum war die Mutter unglücklich über ihren Sohn?
8. Wie rächte Eulenspiegel sich an den Leuten, als er in den Fluss fiel?
9. Warum kroch er in einen Bienenkorb?
10. Welchen Plan und welchen Erfolg hatten die Diebe?

EULENSPIEGEL ALS JUNGER MANN

In dieser Geschichte wird erzählt, wie Eulenspiegel auf *Wanderschaft* ging, wie er viele Menschen kennen lernte, wie er bei einem Schuhmacher Arbeit bekam und wie er aus dem *Leder* Tierfiguren schnitt.

Als Till Eulenspiegel ein junger Mann geworden war, zog er von seiner Mutter weg und ging auf Wanderschaft. Er kam durch viele Dörfer und Städte und lernte viele Menschen kennen: reiche Leute, arme Leute, *Ratsherren*, *Bauern* und Handwerker.

---

die Wanderschaft, die Reise zu Fuß
das Leder, das Material, aus dem man Schuhe macht

Überall, wohin er kam, machte er sich über die Leute lustig und ärgerte sie.

Einmal kam Eulenspiegel in eine Schuhmacher*werkstatt*. Der Schuhmacher suchte gerade einen neuen *Gesellen*. Er gab Eulenspiegel das Leder, aus dem er die Schuhe schneiden sollte.

Eulenspiegel fragte den Schuhmacher:

»*Meister*, wie soll ich das Leder schneiden?«

Der Schuhmacher antwortete:

»Schneide groß und klein, wie der *Hirt* es

auf der *Wiese* hat.« Er meinte damit, Eulenspiegel sollte das Leder für große und kleine Schuhe schneiden, so wie der Hirt große und

---

die Werkstatt, der Arbeitsraum eines Handwerkers
der Geselle, der Helfer des Handwerkers
der Meister, der Handwerker, der selbst eine Werkstatt hat

kleine Tiere auf der Wiese hat.

»Ja gern, Meister«, sagte Eulenspiegel.

Dann ging der Schuhmacher in die Stadt, und Eulenspiegel fing an, das Leder zu schneiden. Aber statt der Schuhe schnitt er *Schweine*, *Ochsen*, *Kälber*, *Schafe* und *Ziegen* aus dem Leder.

Als der Schuhmacher am Abend nach Hause kam, sah er alle diese Tiere. Er wurde böse und rief ärgerlich:

»Was hast du da gemacht? Warum hast du mein schönes Leder kaputtgeschnitten?«

Eulenspiegel antwortete:

»Lieber Meister, ist das dein Dank? Ich habe das Leder so geschnitten, wie du es mir gesagt hast: groß und klein, wie es der Hirt auf der Wiese hat.«

Der Schuhmacher sagte:

»Du lügst! Ich habe nicht gesagt, dass du das Leder kaputtschneiden solltest.«

»Ich verstehe deinen Zorn nicht, Meister«, sagte Eulenspiegel, »ich habe nur das getan, was du zu mir gesagt hast.«

Sie zankten sich noch etwas, doch dann *vertrugen* sie *sich* wieder. Nun schnitt der Schuhmacher selbst das Leder für große und kleine Schuhe und sagte dann zu Eulenspiegel:

»Sieh her! Hier hast du *Nadel* und *Faden*. *Nähe* damit die kleinen und die großen Schuhe zusammen!«

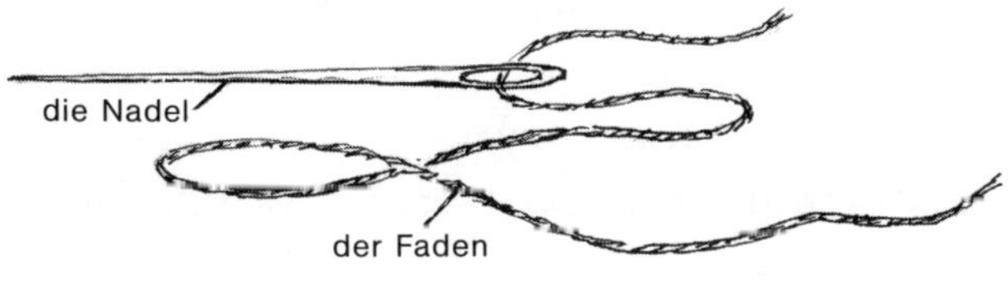

Eulenspiegel sagte »Ja«, und fing an zu nähen. Er *steckte* einen kleinen Schuh in einen großen Schuh und nähte beide Schuhe zusammen.

Als der Schuhmacher die zusammengenähten Schuhe sah, wurde er zornig und rief:

---

sich vertragen, sich nicht mehr zanken
nähen, mit Nadel und Faden arbeiten
stecken, hineinlegen

»So meinte ich es doch nicht! Ich meinte, du solltest erst einen kleinen Schuh zusammennähen und dann einen großen.«

»Ich habe nur das getan, was du gesagt hast«, antwortete Eulenspiegel.

»Sei nun vernünftig«, sagte der Schuhmacher zu Eulenspiegel, »hier hast du neues Leder. Schneide aus dem Leder die *Sohlen* für die kleinen und die großen Schuhe! Und schneide sie über einen *Leisten*!«

»Ja gern«, antwortete Eulenspiegel und fing mit der Arbeit an. Er nahm einen kleinen Leisten und schnitt die Sohlen für alle Schuhe, für die großen und die kleinen, über diesen Leisten.

Jetzt wurde der Meister wirklich böse und schrie:

»Du hast mein ganzes Leder *verdorben*! Bezahle mir das Leder oder ich bringe dich an den *Galgen*!«

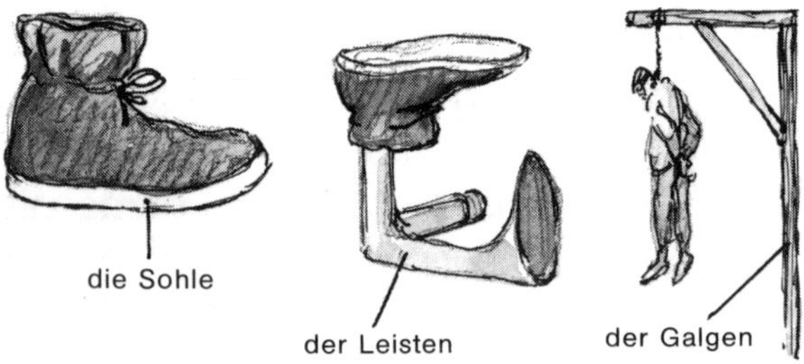

---

verderben, kaputtmachen

Doch Eulenspiegel lief schnell aus dem Haus und aus der Stadt und ließ sich dort nie wieder sehen.

In dieser Geschichte wird erzählt, wie Eulenspiegel zu einem *Bäcker* kam und wie er *Eulen* und *Meerkatzen* aus dem *Teig* machte.

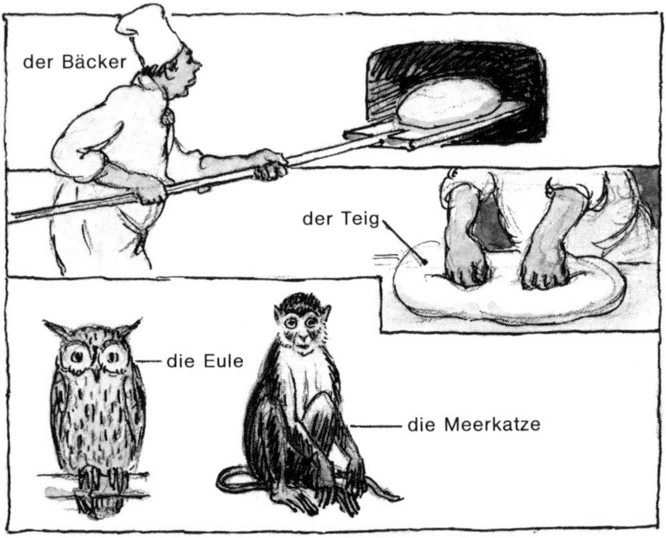

In Braunschweig kam Eulenspiegel zu einem Bäcker, der gerade einen Gesellen suchte. Er fragte Eulenspiegel:

»Willst du bei mir bleiben und bei mir arbeiten?«

»Das will ich gern, Meister«, sagte Eulenspiegel, »was soll ich denn *backen*?«

»Bist du ein Bäckergeselle oder nicht?«, fragte der Bäcker, »was backt denn ein Bäck-

backen, Brot und Kuchen machen

er? Eulen oder Meerkatzen?«

Mit diesen Worten ging der Bäckermeister zur Ruhe, und Eulenspiegel ging in den Backraum. Ich will tun, was der Meister gesagt hat, dachte er. Und so machte er aus dem ganzen Teig Eulen und Meerkatzen.

Als der Bäcker am nächsten Morgen in den Backraum kam, sah er kein Brot und keine Brötchen. Er sah nur Eulen und Meerkatzen.

Da wurde er zornig und rief:

»Was hast du hier gebacken?«

»Eulen und Meerkatzen«, antwortete Eulenspiegel, »wie du gesagt hast.«

»Bist du verrückt, du Narr? Was soll ich damit tun? Das kann ich nicht gebrauchen! Das kauft kein Mensch!«

In seinem Zorn sprang er an Eulenspiegels Hals und rief:

»Bezahle mir den Teig und verlasse sofort mein Haus!«

»Wenn ich den Teig bezahlen soll«, sagte Eulenspiegel, »will ich die Ware auch behalten.«

»Eulen und Meerkatzen kann ich nicht gebrauchen«, sagte der Bäcker, »nimm sie nur mit!«

Also bezahlte Eulenspiegel den Teig, packte die gebackenen Eulen und Meerkatzen in einen Korb und verließ den Bäcker. Er ging in die Stadt und stellte sich mit seiner Ware vor die Kirche. Dort rief er:

»Kauft Eulen und Meerkatzen, liebe Leute! Kauft schöne, frischgebackene Eulen und Merrkatzen!«

Die Leute kamen und kauften alle Eulen und Meerkatzen. Eulenspiegel bekam viel Geld für seine Ware. Er bekam mehr Geld dafür, als er dem Bäcker gegeben hatte.

Als der Bäcker von Eulenspiegels gutem Geschäft hörte, ärgerte er sich sehr. Er lief zur Kirche und wollte von Eulenspiegel auch das Geld für das *Holz* zum Backen haben. Doch da

das Holz 

war Till Eulenspiegel schon über alle Berge mit seinem Geld.

In dieser Geschichte wird erzählt, wie Eulenspiegel bei einem *Schmied* Arbeit bekam und wie er *Hammer*, *Zange*, *Eisenlöffel*, *Feuerhaken* und *Nägel* zusammen*schweißte*.

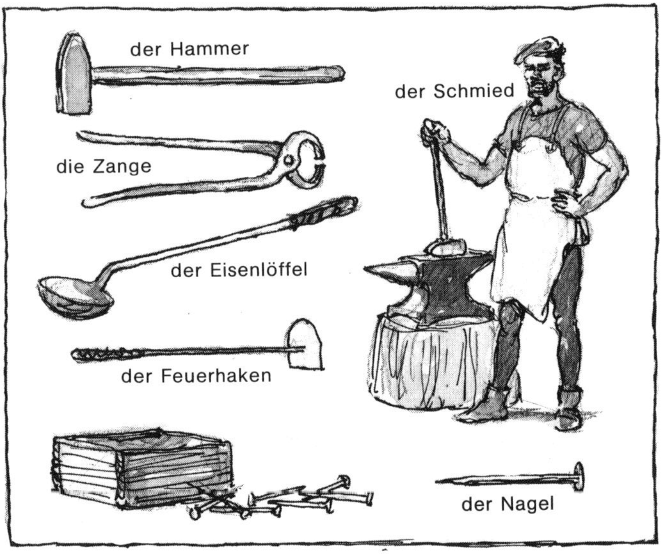

Der Winter kam und war sehr kalt. Die Zeiten waren schlecht. Viele Menschen hatten kein Geld und keine Arbeit. Auch Eulenspiegel hatte kein Geld mehr. Hunger und *Not zwangen* ihn, eine Arbeit zu suchen.

---

schweißen, Metallstücke mit Hilfe von großer Wärme zusammenbringen
die Not, die materiell hoffnungslose Situation
zwingen, sehr wichtig sein, stark verlangen

Er kam in ein Dorf bei Rostock. Dort wohnte ein Schmied, den er um Arbeit und Essen bat. Der Schmied wollte ihn nicht gern nehmen, aber Eulenspiegel sagte zu ihm:

»Ich will alles tun, was du willst. Und ich will alles essen, was kein anderer Mensch essen will.«

Der Schmied war ein *geiziger* Mann und dachte bei sich: Nimm ihn nur, versuche es acht Tage mit ihm. In dieser Zeit kann er dich nicht arm essen.

Am nächsten Morgen fingen sie mit der Arbeit an. Sie arbeiteten, bis es Mittag und Zeit zum Essen war.

Hinter dem Haus hatte der Schmied einen Schweine*stall*. Dorthin führte er Eulenspiegel und sagte zu ihm:

»Sieh her! Hier ist dein Essen! Du wolltest doch essen, was kein anderer Mensch essen will. Du kannst das *Futter* der Schweine essen. Ich wünsche dir eine gute *Mahlzeit*!«

Mit diesen Worten ließ er Eulenspiegel im Stall stehen.

Eulenspiegel sagte kein Wort. Er überlegte sich aber, wie er sich an dem Schmied rächen

---

geizig, sehr am Geld festhaltend
der Stall, der Raum für die Tiere
das Futter, das Essen der Tiere
die Mahlzeit, das Essen zu einer bestimmten Tageszeit

konnte. Diese böse Tat durfte nicht ungestraft bleiben!

Er ging in die Werkstatt zurück und arbeitete weiter. Trotz seines Hungers arbeitete er bis zum späten Abend. Endlich gab der Schmied ihm etwas zu essen. Aber Eulenspiegel konnte nicht vergessen, dass der Schmied ihn in den Schweinestall geführt hatte.

Als Eulenspiegel am Abend zu Bett gehen wollte, sagte der Schmied zu ihm:

»Stehe morgen früh auf und schweiße ein Stück nach dem anderen! Schweiße so lange, bis ich komme!«

Am nächsten Morgen machte Eulenspiegel Feuer in der Schmiede. Dann nahm er die Zange, schweißte sie an den Eisenlöffel, den Eisenlöffel schweißte er an den Hammer, den Hammer an den Feuerhaken, und daran schweißte er alle Nägel.

Als er den Schmied kommen hörte, nahm er schnell seine Sachen und verließ das Haus.

Der Schmied kam in die Werkstatt und sah, dass Eulenspiegel alles Werkzeug zusammengeschweißt hatte. Er wurde sehr böse und rief die *Magd*. Die Magd sagte:

---

die Magd, das Mädchen, das bei der Arbeit im Haus und im Stall hilft

»Er ist vor die Tür gegangen, Meister. Er hat etwas über die Tür geschrieben. Ich weiß nicht, was es ist. Ich kann es nicht lesen. Er hat auch etwas *gemalt*. Ich glaube, es ist eine Eule.«

Wo man Eulenspiegel nicht kannte und wo

malen, ein Bild machen

man seinen Namen nicht wusste, malte er eine Eule und einen *Spiegel* über die Tür. Darüber schrieb er auf Lateinisch: HIC FUIT.

Der Schmied konnte es auch nicht lesen und holte den *Pfarrer*.

Der Pfarrer sagte zu dem Schmied.

»Hier steht: Er ist hier gewesen.«

Der Schmied wurde zornig, *wischte* alles über der Tür *aus* und sagte:

»Ich will nicht das *Wappen* eines Narren an meiner Tür haben!«

Trotz Hunger und Kälte wanderte Eulenspiegel weiter. Er kam nie wieder in dieses Dorf zurück.

auswischen, wegwaschen

In dieser Geschichte wird erzählt, wie Till Eulenspiegel zu einem *Schneider* nach Berlin kam, wie er sich in eine *Tonne* setzte und wie er einen *Wolf* machte.

Auf seiner Wanderschaft kam Till Eulenspiegel nach Berlin und wurde Schneidergeselle. Als er in der Werkstatt saß, sagte der Schneidermeister zu ihm:

»Nähe hier diese *Naht* am *Rock*! Und merke dir: Wenn du nähst, nähe gut! Nähe immer so, dass man es nicht sieht!«

Eulenspiegel antwortete:

»Ja, das verstehe ich wohl, Meister.«

Er nahm Nadel, Faden und Rock und kroch damit in eine Tonne. Der Schneider wunderte sich darüber und fragte Eulenspiegel:

»Was tust du da? Warum setzst du dich in die Tonne?«

»Du sagtest doch, Meister, ich sollte so nähen, dass kein Mensch es sieht«, antwortete Eulenspiegel.

»Nein, so meine ich es nicht, lieber Geselle. So sollst du nicht nähen. Komm nur wieder aus der Tonne heraus und setze dich auf den Tisch!«

Eulenspiegel setzte sich nun auf den Tisch, wie es alle Schneider tun, und dann nähte er. Er nähte den ganzen Tag, und der Schneidermeister war mit seiner Arbeit zufrieden. Bevor der Schneider am Abend zu Bett gehen wollte, sagte er zu Eulenspiegel:

»Sieh her! Mach diesen Wolf heute noch fertig und gehe dann auch zu Bett!«

---

die Naht, der Rock, siehe Zeichnung auf Seite 37
der Wolf, hier: in früheren Zeiten der Name für einen Rock

Eulenspiegel sagte:

»Ja, Meister, geh nur schlafen!«

Der Schneider ging zu Bett und dachte an nichts Böses.

Eulenspiegel nahm den grauen Rock, schnitt die Nähte auf und nähte nun einen Wolf. Erst machte er den Kopf, dann den *Rumpf* und zum Schluss die Beine. Kopf und Rumpf *stopfte* er gut mit *Heu aus*. In die Beine steckte er Holzstöcke, so dass der Wolf stehen konnte.

Es wurde sehr spät, bevor Eulenspiegel mit der Arbeit fertig war und selbst zu Bett gehen konnte.

Am nächsten Morgen kam der Schneider in die Werkstatt und sah den ausgestopften Wolf.

»Was, zum *Teufel*, hast du aus dem Rock

---

der Rumpf, siehe Zeichnung auf Seite 37
ausstopfen, voll und fest hineinstecken
der Teufel, siehe Zeichnung auf Seite 40

der Teufel

gemacht?«, rief er zornig.

»Einen Wolf, Meister, wie du es mir gesagt hast«, antwortete Eulenspiegel.

»Ich meinte doch nicht so einen Wolf!«, schrie der Schneider, »ich meinte doch den Rock! Jetzt hast du mir den schönen Rock verdorben, und ich muss einen neuen nähen.«

»Die Arbeit war schwer genug«, sagte Eulenspiegel, »und ich wusste nicht, dass so ein Rock ein Wolf ist.«

Der Schneider sagte ärgerlich:

»Die Arbeit bezahle ich dir nicht! Du kannst dir eine andere Arbeit suchen!«

Und so verließ Till Eulenspiegel auch den Schneider und wanderte weiter in die nächste Stadt.

FRAGEN

1. Warum ging Eulenspiegel auf Wanderschaft?
2. Wo und wovon lebte er?
3. Welche Arbeiten machte er bei dem Schuhmacher, bei dem Bäcker, bei dem Schmied und bei dem Schneider?
4. Warum war der Schuhmacher mit Eulenspiegel unzufrieden?
5. Warum musste er den Bäcker verlassen?
6. Warum und wie ärgerte er den Schmied?
7. Was malte Eulenspiegel über die Tür und was meinte er damit?
8. Warum konnten die Magd und der Schmied Eulenspiegels Worte nicht lesen? Und warum konnte der Pfarrer sie lesen?
9. Warum saß ein Schneider früher wohl auf dem Tisch?
10. Wie war die Zeit, in der Eulenspiegel lebte?

EULENSPIEGEL ALS ALTER MANN

In dieser Geschichte wird erzählt, wie Till Eulenspiegel älter wurde und wie er sich in Antwerpen an einem Holländer rächte.

Eulenspiegel wanderte weiter. Er wanderte durch viele Dörfer, durch viele Städte, durch das ganze Land. Und wenn die Geschichtsschreiber Recht haben, wanderte er sogar durch fremde Länder. Überall lachte er über die Menschen. Überall ärgerte er sie. Überall kannte man ihn. Doch allmählich merkte er, dass er nicht mehr der Jüngste war. Er wurde älter und *schwächer* und war oft krank.

---

schwach, nicht stark

Einmal war er in einer *Herberge* in Antwerpen. Es ging ihm nicht gut. Er hatte *Bauch*schmerzen und konnte kein Fleisch essen. Darum bat er den *Wirt*, ihm zwei weiche Eier zu bringen.

An dem langen Tisch, an den er sich gesetzt hatte, saßen mehrere holländische Kaufleute. Der eine Holländer sah die zwei Eier und sagte zu Eulenspiegel:

»Ist das Essen hier nicht gut genug für dich? Muss der Wirt dir Eier bringen?«

Mit diesen Worten nahm er die beiden Eier, *schlug* sie auf und *schlürfte* sie *aus* - ein Ei nach dem anderen. Die *Schalen* warf er Eulenspiegel ins Gesicht und sagte:

»Da, nimm und iss den Rest!«

Alle Leute lachten. Eulenspiegel lachte auch, denn das war das Klügste, was er tun

---

die Herberge, ein billiges Hotel und Restaurant
der Wirt, der Mann, der ein Restaurant hat
aufschlagen, hier: die Eierschale aufmachen
ausschlürfen, laut trinken

konnte. Aber er dachte bei sich: Warte, mein Freund! Du sollst Eulenspiegel kennen lernen!

Am Nachmittag kaufte er einen schönen *Apfel*. Er machte ein tiefes Loch in den Apfel und steckte *Fliegen* und *Mücken* hinein. Dann *briet* er den Apfel und tat Zucker darauf.

Als die holländischen Kaufleute am Abend wieder in der Herberge saßen, brachte Eulenspiegel den gebratenen Apfel auf einem *Teller* herein und stellte den Teller auf den Tisch. Er

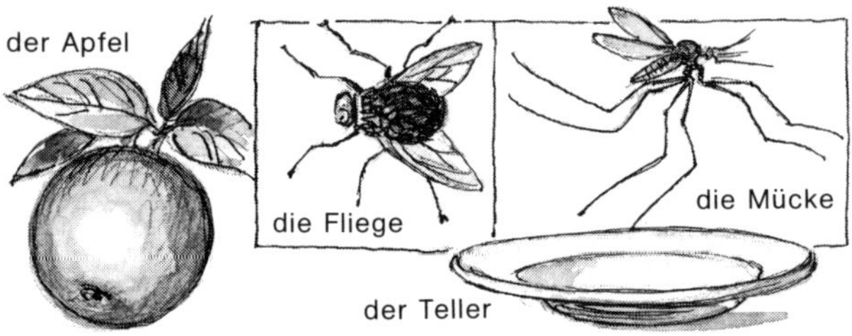

ging noch einmal weg, um etwas zu holen. Der Holländer sah den schönen Apfel, nahm ihn vom Teller und *verschlang* ihn so schnell er konnte.

Wieder lachten alle Leute. Doch ihr Lachen dauerte nicht lange. Der Holländer *spuckte* alles, was er gegessen hatte, wieder *aus*. Er

---

braten, etwas durch große Wärme in Butter oder Margarine braun werden lassen
verschlingen, sehr schnell essen
ausspucken, das Essen wieder aus dem Mund kommen lassen

wurde ganz weiß im Gesicht. Ein anderer Holländer sagte:

»In dem Apfel ist Gift!«

Eulenspiegel sagte:

»Habt keine Angst! In dem Apfel ist kein Gift, nur Fliegen und Mücken. Das ist gut für die *Reinigung* des Magens!«

Und nun hatte Eulenspiegel die Lacher auf seiner Seite. Der Holländer aber sagte:

»Eulenspiegel, mit dir esse ich nie wieder. Du kannst das beste Essen auf den Tisch stellen, aber ich setze mich nie wieder an deinen Tisch!«

die Reinigung, das Saubermachen

In dieser Geschichte wird erzählt, wie Eulenspiegel in ein *Kloster* ging und wie er *Pförtner* wurde.

Eulenspiegel wanderte wieder nach Deutschland zurück. Nun *beschloss* er, in ein Kloster zu gehen und dort bis zu seinem Tod zu bleiben. Im Kloster wollte er *geduldig* auf sein Ende

beschließen, einen festen Plan haben
geduldig, mit Ruhe

warten und Gott bitten, ihm seine *Sünden* zu *vergeben*.

So kam er in das Kloster von Mariental und bat den *Abt*, dort bleiben zu dürfen. Der Abt hatte schon viel von Eulenspiegel gehört und sagte ihm:

»Du kannst im Kloster bleiben, Eulenspiegel. Doch jeder muss hier arbeiten, jeder nach seinen Kräften. Ich sehe, dass du nicht mehr so kräftig bist; ich habe auch gehört, dass du nicht gern arbeitest. Darum bekommst du eine leichte Arbeit. Du kannst unser Pförtner sein.«

»Hoher Herr«, sagte Eulenspiegel, »ich danke Ihnen, dass Sie einem alten und kranken Mann helfen wollen.«

Der Abt sagte weiter:

»Sieh! Hier ist der *Schlüssel*! Wenn *jemand* hereinkommen will, sollst du die *Pforte aufschließen*. Dann sollst du Essen und Bier aus

die Sünde, eine strafbare Tat
vergeben, entschuldigen
jemand, ein Mensch
aufschließen, mit einem Schlüssel aufmachen

dem *Keller* holen. Und wenn jemand das Kloster verlässt, sollst du die Pforte wieder *zuschließen.*«

Eulenspiegel antwortete:

»Hoher Herr, ich will alles tun, was recht ist.«

Und so wurde er der Pförtner des Klosters.

Gleich am ersten Tag kamen viele Menschen in das Kloster: Wanderer, Handwerksgesellen, *Bettler*, Diebe. Eulenspiegel ließ sie alle herein, führte sie in den großen *Saal* und holte Brot und Fleisch, Bier und Wein aus dem Keller. Dann setzte er sich zu ihnen an den Tisch. Sie aßen und tranken, sie sangen und tanzten die ganze Nacht. Zum Schluss fielen sie, der eine nach dem anderen, vor Müdigkeit unter den Tisch.

Am nächsten Morgen sah der Abt mit Schrecken, was für Menschen in dem Kloster waren. Er sagte zu Eulenspiegel:

»Solche Leute gehören nicht in ein Kloster, Eulenspiegel! Merke dir: Lasse nicht jeden Menschen hereinkommen! Lasse nur jeden

---

der Keller, die Räume eines Hauses, die unter der Erde sind
zuschließen, mit einem Schlüssel zumachen
der Bettler, ein Mensch, der um Geld oder Essen bittet
der Saal, ein sehr großer Raum

dritten oder vierten herein! Zu viele Menschen essen das Kloster arm!«

Von allen, die nun kamen, ließ Eulenspiegel nur immer jeden vierten herein. Auch die *Mönche*, die zum Kloster gehörten, ließ er draußen stehen.

Das ging einige Tage ganz gut. Aber dann beklagten die Mönche sich bei dem Abt. Der Abt ließ Eulenspiegel zu sich kommen und sagte zu ihm:

»Geh aus meinem Kloster, Eulenspiegel! Und lauf, wohin du willst! Hier kannst du nicht bleiben! Du bist immer ein Narr gewesen, und du wirst immer ein Narr bleiben!«

So musste Eulenspiegel das Kloster von Mariental wieder verlassen. Und so ging er wieder auf Wanderschaft.

---

der Mönch, der Bewohner eines Klosters

In dieser Geschichte wird erzählt, wie Eulenspiegel einen *Eimer* mit *klebrigem Teer füllte*, wie er sein *Testament* machte und wie er seinen *Besitz* in drei Teile teilte.

der Eimer

Eulenspiegel kam nun nach Mölln. Einige Tage wohnte er bei dem Apotheker. Da er aber immer kränker und schwächer wurde, ließ der Apotheker ihn ins Krankenhaus bringen. Eulenspiegel wusste wohl, dass seine Kräfte am Ende waren und dass er nun sterben musste. Er hatte aber keine Angst vor dem Tod. Im Gegenteil! Sogar auf dem Sterbebett hatte er noch die Kraft, die Menschen *an der Nase herumzuführen*.

Hört, liebe Leser, was mit Eulenspiegels Testament geschah! Und merkt euch, dass ihr eure Hände nicht an Testamenten schmutzig macht!

---

klebrig, festsitzend
der Teer, eine dicke, weiche, schwarze Substanz
füllen, vollmachen
das Testament, der letzte Wunsch eines Menschen
der Besitz, das Geld oder das Haus, das der Mensch hat
an der Nase herumführen, andere Menschen ärgern

Als Eulenspiegel im Krankenhaus lag, kam ein *Priester* zu ihm. Der Priester dachte nämlich: Eulenspiegel ist ein *berühmter* Mensch gewesen und ist sicher sehr reich. Er muss viel Geld haben. Nun geht es mit ihm zu Ende. Vielleicht kann ich etwas von seinem Geld *erben*! Darum sagte er zu Eulenspiegel:

»Eulenspiegel, mein lieber Sohn! Du bist viel in der Welt herumgekommen. Du hast viele Sünden auf deinem *Gewissen*! Die Sünden werden dir vergeben, wenn du dein Geld einem armen Priester gibst. Ich bin ein armer Priester. Gib mir dein Geld, Eulenspiegel! Dann will ich auch mein ganzes Leben für dich *beten*!«

Eulenspiegel antwortete:

»Ja, lieber Priester, ich will in meinem Testament an dich denken. Komm heute Nachmittag wieder zu mir! Dann will ich dir ein Stück Gold in die Hand geben.«

Der Priester war froh darüber. Bevor er am Nachmittag wieder zurückkam, nahm Eulenspiegel einen Eimer und füllte ihn halb voll mit Teer. Darauf legte er ein paar Goldstücke,

---

der Priester, der Pfarrer
berühmt, bekannt
erben, den Besitz eines Menschen nach seinem Tod bekommen
das Gewissen, das Gefühl und das Wissen von Gut und Böse
beten, Gott um Hilfe bitten

so dass der Teer nicht zu sehen war.

Am Nachmittag kam der Priester wieder und sagte zu Eulenspiegel:

»Mein lieber Eulenspiegel! Willst du mir nun das Gold geben, das du mir versprochen hast?«

»Ja, lieber Herr«, sagte Eulenspiegel, »*greife* nur in den Eimer! Und greife tief hinein! So wirst du immer an mich denken!«

Die *Habgier* des Priesters war groß, und er griff tief in den Eimer hinein. Aber als er seine Hand in den Eimer gesteckt hatte, machte er sich an dem Teer schmutzig. Der Teer klebte fest, und die Hand wurde ganz schwarz.

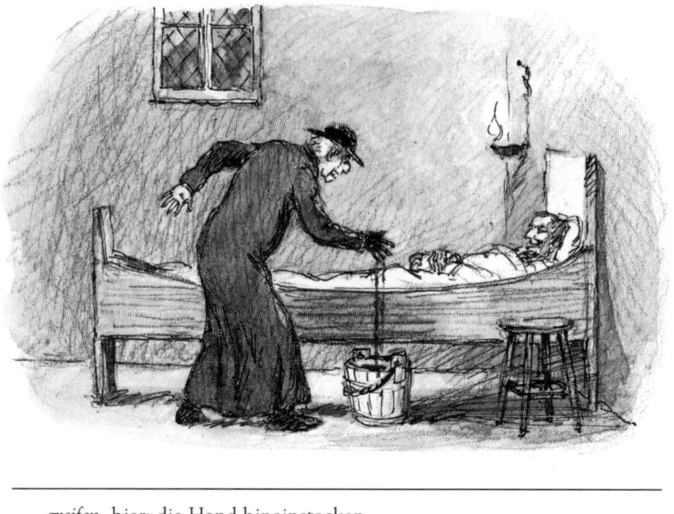

greifen, hier: die Hand hineinstecken
die Habgier, der starke Wunsch nach Besitz

Der Priester wurde böse und sagte:

»Was für ein Narr bist du, Eulenspiegel! Noch auf dem Sterbebett, noch in deiner letzten Stunde machst du dich über die Menschen lustig! Kein Wunder, wenn sie über dich klagen!«

Mit diesen Worten verließ er den kranken Eulenspiegel und kam nie wieder zu ihm zurück.

Als Eulenspiegel immer kränker wurde, schrieb er sein Testament. Darin teilte er seinen Besitz in drei gleiche Teile: Einen Teil sollten seine Freunde bekommen, einen Teil die Stadt Mölln und einen Teil die Kirche von Mölln. Dann zeigte er seinen Freunden, dem Ratsherrn von Mölln und dem Pfarrer von Mölln eine schöne Holzkiste. Er sagte zu ihnen:

»Wenn ich unter der Erde liege, sollt ihr die Kiste *öffnen* und den Inhalt teilen!«

Den Schlüssel für die Kiste gab er dem Ratsherrn. Dieser sollte ihn bis zu seinem Tod *aufbewahren*.

Wenige Tage später starb Eulenspiegel.

Als er nun unter der Erde lag, öffnete man

öffnen, aufmachen
aufbewahren, eine bestimmte Zeit behalten

die Kiste. Man fand aber nur Steine darin.

Der Pfarrer von Mölln, der Ratsherr von Mölln und Eulenspiegels Freunde wurden zornig und fingen an, aufeinander zu *schimpfen.*

Der Pfarrer sagte:

»Der Ratsherr hat den Inhalt heimlich herausgenommen, als er die Kiste und den Schlüssel aufbewahrte.«

Der Ratsherr sagte:

»Die Freunde haben den *Schatz* herausgenommen, als Till im Krankenhaus lag.«

Und die Freunde sagten:

»Der Pfarrer hat den Schatz heimlich herausgenommen, bevor Eulenspiegel starb.«

Sie gingen böse voneinander weg.

Erst viel später merkten sie, dass Till Eulenspiegel sie alle an der Nase herumgeführt hatte.

---

schimpfen, böse Worte zueinander sagen
der Schatz, Gold und Silber

In dieser Geschichte wird erzählt, wie Till Eulenspiegel im *Sarg* lag, wie die Schweine ihn aus dem Sarg warfen und wie er *begraben* wurde.

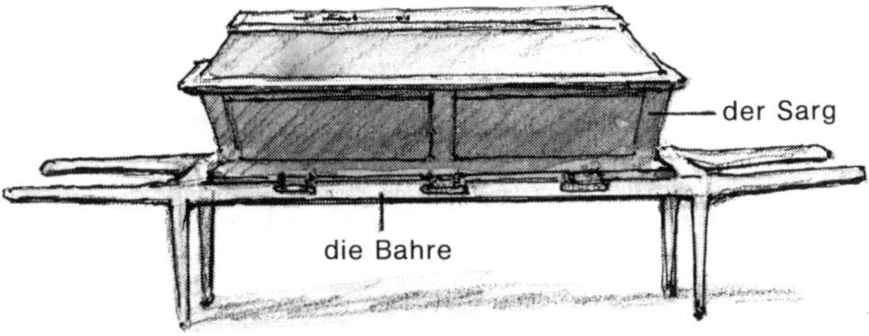

Als Eulenspiegel gestorben war, kamen viele Menschen in das Krankenhaus. Sie wollten ihn noch einmal sehen und *Abschied* von ihm *nehmen*. Die Männer legten ihn in einen Sarg, den sie in den *Hausflur* auf eine *Bahre* stellten. Die Frauen weinten und sangen *Klagelieder*. Die Priester beteten und baten Gott um die Vergebung seiner Sünden.

Plötzlich wurde die Totenfeier gestört. Die Schweine des Krankenhauses liefen in den Hausflur. Sie gingen unter die Bahre. Der Sarg fiel von der Bahre, und Eulenspiegel fiel aus dem Sarg.

---

begraben, unter die Erde bringen
Abschied nehmen, auf Wiedersehen sagen
der Hausflur, der Vorraum in einem Haus
das Klagelied, ein trauriges Musikstück

Die Frauen schrien, die Männer riefen, und die Priester *jagten* die Schweine *kreuz und quer* durch das Krankenhaus. Die Tiere *rannten* und sprangen über die Betten, über die Kranken, über die Priester, über den Sarg.

Endlich *gelang* es den Priestern, die Schweine aus dem Krankenhaus fortzujagen. Die Frauen brachten alles wieder in Ordnung, und die Männer legten Eulenspiegel wieder in den Sarg.

---

jagen, hinterherlaufen
kreuz und quer, planlos hin und her
rennen, schnell laufen
gelingen, Glück haben

Einige Tage später brachten sie ihn zum *Friedhof*. Erst dort merkten sie, dass Eulenspiegel nicht auf dem Rücken, sondern auf dem Bauch lag. Da mussten alle lachen, und einer sagte:

»Er zeigt uns selbst, wie er liegen will. Er soll seinen *Willen* haben!«

Eulenspiegels *Begräbnis* war ebenso *wunderlich*, wie sein Leben gewesen war. Als alle Leute auf dem Friedhof standen, wollten die Männer den Sarg in die Erde *senken*. Da riss das eine Seil am Fußende. Der Sarg fiel in die Erde, und Eulenspiegel stand auf den Füßen.

»Lasst ihn so stehen«, sagte ein Mann, »er ist in seinem ganzen Leben wunderlich gewesen. Wunderlich will er auch im Tod sein!«

Dann warfen sie Erde auf das *Grab* und setzten einen Stein darauf. Den Stein kann man heute noch sehen. Auf der oberen Hälfte des Steins ist eine Eule, die einen Spiegel in ihren *Klauen* hält. Auf der unteren Hälfte des Steins stehen die Worte:

---

der Friedhof, der Platz, auf dem die Toten liegen
der Wille, der Wunsch
das Begräbnis, die Totenfeier auf dem Friedhof
wunderlich, merkwürdig
senken, hinunterlassen
reißen kaputtgehen
das Grab, *die Klaue*, siehe Zeichnung auf Seite 60

»Diesen Stein soll *niemand erhaben*.
Hier liegt Eulenspiegel begraben.«
Anno Domini MCCCL

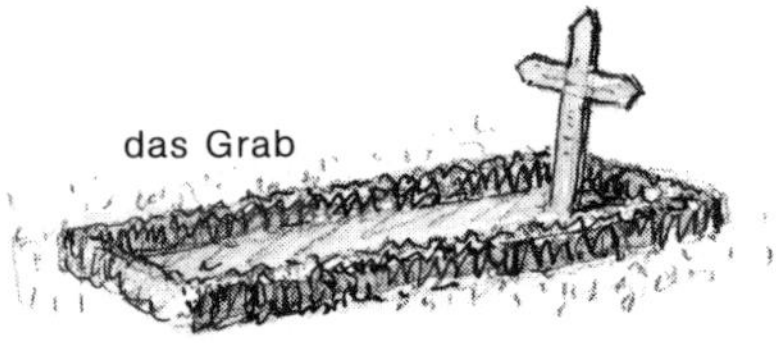

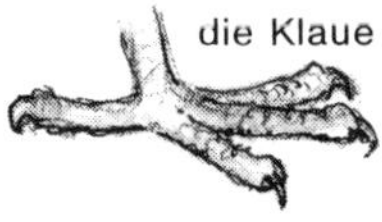

---

niemand, kein Mensch
erhaben, eigentlich: erheben, hochnehmen
Anno Domini, im Jahre des Herrn, d.h. nach Christi Geburt

FRAGEN

1. Über welche Leute machte Eulenspiegel sich im Alter lustig?
2. Warum gab es zu Eulenspiegels Zeiten so viele holländische Kaufleute in Antwerpen?
3. Warum ging Eulenspiegel in ein Kloster?
4. Wie war ein Krankenhaus wohl zu Eulenspiegels Zeiten?
5. Wer sorgte in diesen Zeiten für die Kranken?
6. Wie bestrafte Eulenspiegel die Habgier des Priesters?
7. Warum zankten sich Eulenspiegels Freunde, der Ratsherr und der Pfarrer von Mölln?
8. Warum hält die Eule den Spiegel in ihren Klauen?
9. In welchem Jahr starb Eulenspiegel?
10. Was können wir - die Menschen des 20. Jahrhunderts - aus Eulenspiegels Leben lernen?